하나노이
군💗과
상사병

l'm addicted to you.

Megumi Morino

I'm addicted
to you.

Characters

정식으로
교제 중 ♥

5년 전

하나세 호타루
먹는 걸 사랑하는 고2.
평생 사랑 같은 건
불가능할 줄
알았는데?

하나노이 사키
호타루네 옆 반의 사랑이
무거운 꽃미남.
사실은 초등학교 때
첫사랑이 호타루.

5년 전

사귀는 사이 ♥

쿠라타 케이고
하나노이와
같은 반.

동급생

**아사미 히바키
(쿄우)**
호타루와
중학교 동창.

**시바무라 츠키하
(시바무)**
호타루와
같은 반.

아르바이트 동료

야오 소헤이
호타루와 초등학교 동창.
하나노이도 동창이라는
사실을 알아챘다.

사토무라 사토미
대학 2학년.
최애 아이돌이
결혼했다.

니시 유타카
야오 대신 들어온
새 알바생. 20세.

·········· S t o r y ··········

고1 겨울, 옆 반 하나노이가 실연당하는 현장을 목격한 하나세 호타루.
별생각 없이 우산을 빌려준 걸 계기로 하나노이에게 고백을 받게 된다.
기한을 두고 '시험 삼아' 하나노이와 사귀기로 한 호타루는 처음으로 다양한 감정을 알아가고,
하나노이에 대한 감정이 사랑이란 확신이 들자 하나노이에게 고백! 마침내 둘은 진짜로 사귀기 시작한다♥
순조롭게 사귀는 듯 보였지만 고2 가을, 서로의 과거를 둘러싸고 조금씩 어긋나기 시작…
하지만 첫 싸움도 무사히 극복한 두 사람은 연인으로서 두 번째 겨울을 맞이한다.
학교에서도, 알바하는 곳에서도 조금씩 변화가 일어나는 가운데 호타루네 할아버지가
과거 친구였던 긴지 할아버지였다는 사실에 놀라는 하나노이.
약속했던 데이트 날, 호타루에게 모든 걸 얘기하려고 하는데…?!

Special Thanks to

담당편집 Y 씨
　　　에구치 씨
　　　사이고 씨

콘코 씨
시이야 씨
타케마츠 씨
스기 씨
토마신 씨

취재 협력

카지카와 씨
무로구치 씨

요시로 씨
사치코 씨

미야코
미야코 아버님

나와타 코헤이 디자인 사무실

언제나 응원해주시는
　가족, 친구, 옛 동료 여러분

예?
엄마가요?

괜찮으
세요?!

...네
...네.
...수술
이요?!

…그래서
결국
못 참고

둘이
야오를
따라 나온
모양이야.

근데
병원 가는 길을
모른다나 봐…

어쨌든
초등학생
둘만 보내긴
불안하니까

내가 좀
데려다줄까
하는데…

그렇
구나…

…사키도
같이
가자고
하면…

……

너무
뻔뻔
할까…?

저기,
사키만 싫지
않다면…

그거…

네가 꼭
해야만 하는
일이야?

어…?

그
게…

그건
그렇…
지만…
그래도….

야오가 애들은
집에서
기다리는 게
좋겠다고
판단한 거면

그냥
집으로
돌려보내는 게
낫지 않을까…?

소헤이도
나처럼

엄마밖에
없대.

…부탁
이야.

...
거짓말
쟁이

...

흡

ㅅ

퍽

사키…
뭔가 행동이
이상했어….

엄마….

그렇…

많이
불안하지?
괜찮아.
금방 도착할
거야.

엄마 옆에
있어
드리자.

죄송한데,
야오 유미코란 분이
구급차에
실려 왔다고
들었는데요.

오빠!!

?!

우연히 역에서 오도 가도 못하는 애들을 만났어….

너희가 어떻게…

어? 호타코?!

뭐어어?!

그치만~

어떻게 된 거야…? 할머니가 너희들이 집에 없다고 얼마나 걱정했다고.

20

하여간 못 말려...

미안해, 동생들 때문에.

데려다 줘서 고마워.

아냐.

그보다... 넌 어때?

괜찮아...?

아아,
엄마
말야?

그게,
엄마가 워낙
밤샘을
밥 먹듯 해서
과로가
왔나 봐…

검사 결과
뇌출혈이라
지금 수술
중이야.

그럼.

잘하면
후유증 없이
회복될
가능성이 높대.

쓰러지고
바로 호송됐고,
처치도 빨라서

근데…

그건
결과가
좋을 때
얘기고…

22

최악의 경우엔…

….

아니, 결국

수술해봐야 아는 거지.

팟

미안….

애들을 데려오는 게 어떤 의미인지 생각을 못 했던 것 같아.

지금 무리… 하고 있는 거지…?

!

야오 씨 보호자분?

수술은 잘 끝났어요.

후유증에 대해선 아직 뭐라 단정 지을 수 없지만

생명에 지장은 없을 거예요.

뿔뿔

고마워

아... 네, 네!

자세한 설명은 저쪽에서 해드릴게요.

26

눈의
영향으로

운행이
30분
지연되고…

기다리게 해서 미안.
지금 그리 갈게.

기다리게 해서 미안.
지금 그리 갈게.

어떡하지? 전철이 늦는대.

많이 늦어지겠지만,
가도 괜찮지?

무리하지 않아도 된다니까.

헉...

헉...

잠깐만, 수건 갖고 올게!

뛰어 왔더니...

우산을 쓰는 의미가... 없어서.

으... 그보다! 미안해!!

오늘―.

신경 쓰지 마.

지난번과
반대…

윙

…오늘
정말
미안해.

괜찮
대도.

…야오네
엄마는

좀
괜찮
으셔?

그치만…
너무 늦었잖아….
병원에서 오는
버스랑 전철이
하나같이 지연되는
바람에.

근데 후유증 여부는 아직 모른다나 봐…

그게 좀 걱정이야…

아, 응!

수술은 성공적이래!

야오도…

동생들 앞에선 상심한 모습을 보이기 힘들겠지.

"만지고 싶은
마음은
늘 있어."

이…
이건.

썰———...컹...

후

앗...
싫다는 게...
아니라...

이,
이건 분명
뭔가 오해한
거야.

눈...
그쳤다.

지금
얼른
가는 게
좋겠어.

꿍ー방

늘

역시
화나게
한 건가…?

아니, 배웅 안 한 것 자체는 문제가 아니지만

핫

가만….
평소엔
늘 역까지
배웅해줬는데,
오늘은
안 해주네?!

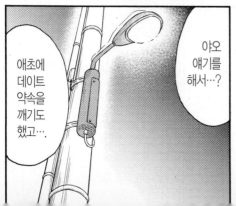

애초에
데이트
약속을
깨기도
했고….

야오
얘기를
해서…?

하지만 오늘 야오한테 그런 힘든 일이 있었는데, 좋다고 꽁냥거리는 건 양심이 켕긴달까…?!

게다가 스킨십까지 싫다고 했으니…

으아, 나 오늘 완전 최악 이잖아…?!

지금 좀… 용기가 필요했어.

…그래도

화내지 않으려고 애써준 것 같아… 아마도.

제 59 화 첫 1주년

하 나 노 이 군 과 상 사 병

안녕,
호타루.

...안녕.

앗,

잠깐만! 다른 애들은 안 불러도 돼.

응.

아사미, 점심…

오늘은

그냥 우리끼리 먹으면 안 될까?

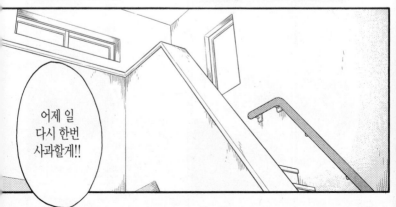

어제 일 다시 한번 사과할게!!

다음 주는 언니랑 논다고 했잖아?

다음 주에 데이트 다시 하자!

날짜만 잘 조절하면 문제없어!

…언니 이사 날도 얼마 안 남았지?

둘이 놀 기회는 소중히 해야지…. 어제 일은 신경 쓰지 않아도 돼.

뭐… 하긴 그런가….

……

괜찮아!

1년?

?

1년…

이니까.

아니, 그게…

다음 주면 우리가 사귄 지… 1년이잖아….

이걸로 할까?

이거 맛있겠다

하하.

그러고 보니 얼마 전 밸런타인데이 초콜릿을 같이 먹었지?!!

호타루
답네.

정말
미안…!!!

그렇구나,
기념일…!
기념일의 개념을
이제야
깨달았어….

난 사실
혼자 매달
축하해
왔는데

뭐어?!
말을 하지~

그럼,
이따
방과 후에
보자.

오늘 점심은 어떡할래?

미안. 가능하면 오늘도… 아니, 아마 당분간은….

다음 날

호타루~.

이번엔 너희 커플이야? 무슨 일인데?

하나노이는 어제부터 묘하게 어둡고… 괜찮아?

뭐, 원래도 밝지는 않았지만

저번에 내가 데이트 약속을 깼어.

역시나… 신경 안 쓸 순 없겠지….

이럴 땐 어떻게 해야 할까…?

나한테 전혀 화난 내색을 안 보이더라고.

기분 나빴을 텐데… 사키는

으음,
호타루도
사과했고
반성 중인
거지?

나?

얼굴에
다 드러나는 사람
대표
↓

아아…
그랬구나.
어떻게 생각해?
얼굴에 드러나지
않는 사람 대표
츠키하 씨?

대반성 중

내 경우엔
좋아하는 걸
하고 잠들면

혼자
멋대로
후련해
지던데.

사키가
좋아하는
건….

그나저나
불만을 얘기
못 하는 건가?
뭐 나도
그런 시기가
있긴 했지만.

정말…?

지금
방향이
나쁘지 않단
소리네.

호타루지
….

그래서 아무렇지 않은 척하게 되는 거야.

먼저 반한 쪽이 진 거란 말이 있지?

좋아하게 되면 미움받고 싶지 않아서

자기 기분보다 상대 기분을 더 중시하게 되잖아?

…지금도? 그런… 거야…?

나랑 사키는 앞으로도 쭉 '그런' 걸까…?

하나노이?

아까 수업 필기 말인데….

야, 하나노이~!

하나노이~

흠

…

시끄러.

하∼나∼
노∼이∼
사∼키∼.

기분전환
하러 어디
안 갈래?

너 요즘
좀 이상
하다?

동굴 모드
재발이야?

신경
꺼….

진짜
괜찮아?

콱

그럼
호타루,
내일 보자.

몸 좀
숙여봐!

?

잠깐만
….

앗…

사…
사키!

쪽

듣고 싶다는 코멘트가 많거든….

안 하지만… 소설가도 추리소설 쓴다고 살인을 하는 건 아니니까.

예를 들어도!!

어…? 근데 넌 연애 안 한다고 하지 않았어?

저희 왔어요~.

훗… 사랑을 우습게 보면 안 되지….

뭐, 생각이 안 나서 막혀 있지만.

사키는 사랑이 뭐라고 생각해?

잠깐 이리와

?

아, 호타! 마침 잘 왔어.

이거.

이 정도는 직접 줘도 될 텐데.

아…!

야오가 아까 왔다 갔어.

후유증도 아직까진 보이지 않나 봐.

!

그리고 전해 달래.

어머니 의식이 돌아왔고, 회복도 순조롭게 되고 있다고.

저어…
야오는
괜찮아
보였어요?

하필
힘든 상황에
딱 마주
쳤구나?

정말요?!
다행
이다…!

후―…!

그래도
무지 기쁜 것
같더라.

응,
좀 피곤해
보이긴
했지만.

호타루,
어서 와.

뭐 좋은
일이라도
있어?

좀... 걱정하던 일이 해결됐달까.

야오 얘기는 또 기분 상하게 할지도 몰라.

응, 실은 ...

...정말 다행이야.

그래?

...

내일 만회 데이트는 제대로 즐기자!

이런 거 보면 빨리 어른이 되고 싶지?

둘이 여행… 아, 아니….

고급 레스토랑, 놀이공원… 하나같이 돈 드는 것뿐이네~.

자유시간 같이 보낼 수 있게 같은 조 애들한테 말해볼게

나도 사키랑 여행 가고 싶다!

둘만 가는 건 아니지만, 수학여행도 있잖아!

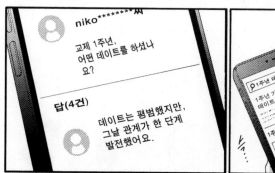

niko********씨

교제 1주년, 어떤 데이트를 하셨나요?

답(4건)

데이트는 평범했지만, 그날 관계가 한 단계 발전했어요.

1주년 데이트   검색

1주년 데이트
1주년 기념 추천
데이트코스 10선!

1주년 데이트에 관한 Q&A

Q   A
A   Q

추억이 되는
계획

작년에 나온 영화랬나?

어떤 얘기야?

으음, 이건…

전에 네가 각본가가 괜찮다고 했었지?

콩닥콩닥 ✧

초승달이 비추다 ★★★★☆

사랑에 트라우마가 있는 남녀가 과거로 돌아가 다시 시작하는 얘기…?

미안, 나도 잘은 몰라.

고등학생 시절 사귀었던 남녀가 각자 서른 살에 지쳐가던 어느 날 방탕에서 멀어져 고등학교 시절로 비춰습함을 하게 된다.

그때 네가 그거 재밌다고 했잖아.

이거도 좋아하지 않을까 싶어서

응, 맞아. 저번에 같이 본 영화랑 같은 사람이야.

평소의
사키…
처럼
보이는데,

오늘
즐거웠
을까…?

흠끔…

손...
최근엔

늘
내가 먼저
잡는 것
같아...

무서운 건
나도
마찬가지야.

야한
장면
돌입

됐으니까...
제일
가까이에
있어 줘.

휴…

…엥?
뭐야.
포옹만 하고
끝이라고?
장난해?

미안.
지금의 난
이것만으로
벅차서.

생각만큼
야한 장면이
아니네.

바스락
삐걱…
바스락

살과 살이
닿는 건
너무
특별한 일
아냐…?

나름대로
나한텐
엄청난
발전이라고.

생각보다 은근히 긴 영화였네.

호타루는 재밌었어?

완전 공감되는 영화였어!!

공감...?!

나도 저렇게 한 걸음씩 나가면 되지 않을까... 싶어.

어, 어떤 면이...?

중간부터 엄청 진지하게 본다 했더니...

살과 살이~ 부근부터!

무슨
소리야?

가,
갑자기
왜 그래?

뭐…
뭐?

저기까지라면
나도 가능할
것 같아!

저번에…
중간에
멈췄잖아….

?!
그…
그건…
네가
싫어해서
….

싫은 건
아니라고
했잖아!!

저번엔
정말…
여러 일을
겪은 뒤라
마음이
따라주질
않았달까.

전에 사키가
지금이
아니라고
했던 말을
믿고 있는걸.

그런 게
불안했던 건
아냐.

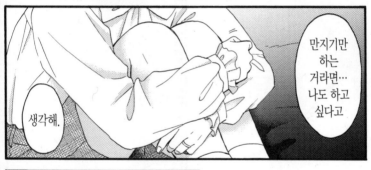

생각해.

만지기만
하는
거라면…
나도 하고
싶다고

서로
만지면…

그리고…

철
벅

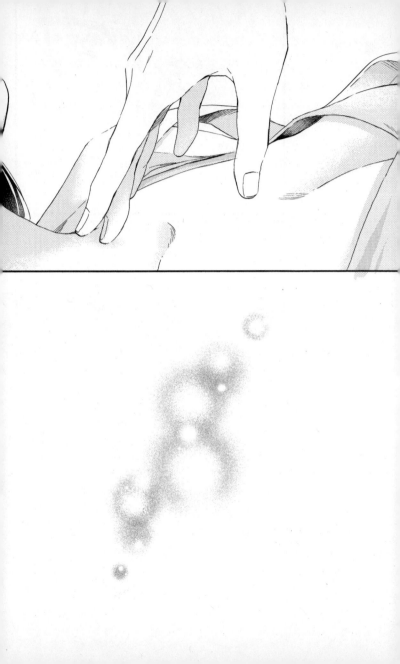

제 60 화 첫 후회

부들

부들

나만 벗고
있는 건
너무...
창피...

핫

저...

한데
....

저기
....

아…

아하…

둘 다…
심장 소리가
장난 아니다.

수영장 때도
생각했지만…
역시
가로막는 게
없는 건
굉장하구나…

긴장
돼서…

떨고
있네…?

응,
굉장해…

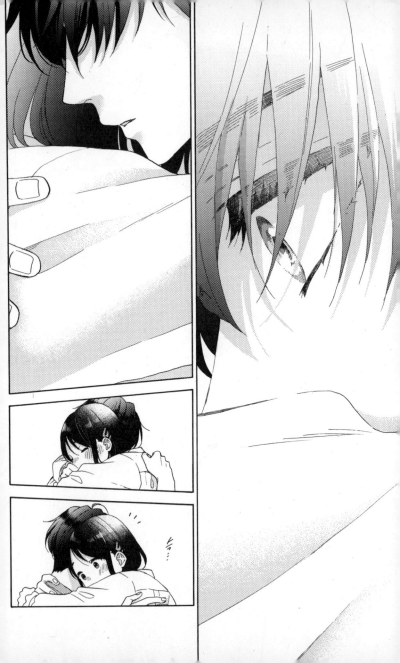

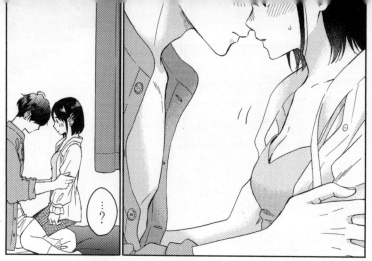

…?

톡

톡

이대로
끝…
내도 돼?

어?

아…
사키?

응….

저기
….

마음
써줘서….

…고마워.

…둘이 있는 시간을 늘리고,

언니와의 약속도 깨고,

어…?

?

…네가 먼저 스킨십 하는 일이 잦아진 것도 전부

어?

뜨끔

아… 아니….

지난번 일을 내가 신경 쓴다고 생각해서… 그런 거지…?

… 조금도?

그러려고 그런 게….

아, 아냐… 난

…뭐?

그러니까 앞으로는
….

…미안.

…바래다 줄게.

어떡하면 좋지?

어떡하지?

어떡하지?

마지못해서 억지로 한 건 하나도 없어…!

그…

…저기! 이 말만은….

…잘 가.

알아.

...그렇겠지. 그냥 내가 지금

많은 걸 있는 그대로 받아들이기 힘든 정신상태인 건지도 몰라...

하나노이 사키

ㄱㅋ ㄴㄹ ㄷㅌ 삭제
ㅂㅍ ㅅㅎ ㅈㅊ 띄어쓰기
보내기

······

······

·······

··········

지금 좀…
용기가
필요했어.

…부탁
이야.

제발
가지 마.

사키가
기뻐해주길
바라는
마음이

오늘 미안해.

조금도
없었다면
거짓말일
거야.

사키가 기뻐해주

는 마음이

…무엇보다
내가

오늘
미안해.

그럼에도 사키를 만지고 싶은 마음 역시 진심이었기 때문에

기뻤어.

뜨롱

뜨롱

기뻐하는 사키를 보고 안심하고 싶었던 것 같아.

근데 분명 오늘 일만이 아니라

훨씬 전부터 내게 뭔가 하고 싶은 말이 있는 게 아닐까 생각해.

너도 싫은 게 있으면
제대로 싫다고 말해줘.

지난주에 못 들은 얘기하고도
관계가 있는 거야?

만일 괜찮다면 지금이라도
말해줬으면 좋겠어.

가끔은
솔직해져
보렴.

뭐가 뭔지 하나도 모르겠어.

띠|롱

너희 집에 갔을 때 ...란에 놓여있던 사진이 ...랑 친했던 사람과 닮아서 ...혹시나 하는 마음에

...너희 엄마에게 물어 ...봤더니

보내기

내가 그날 너희 할아버지를 만나러 갔다면, 만일 그랬다

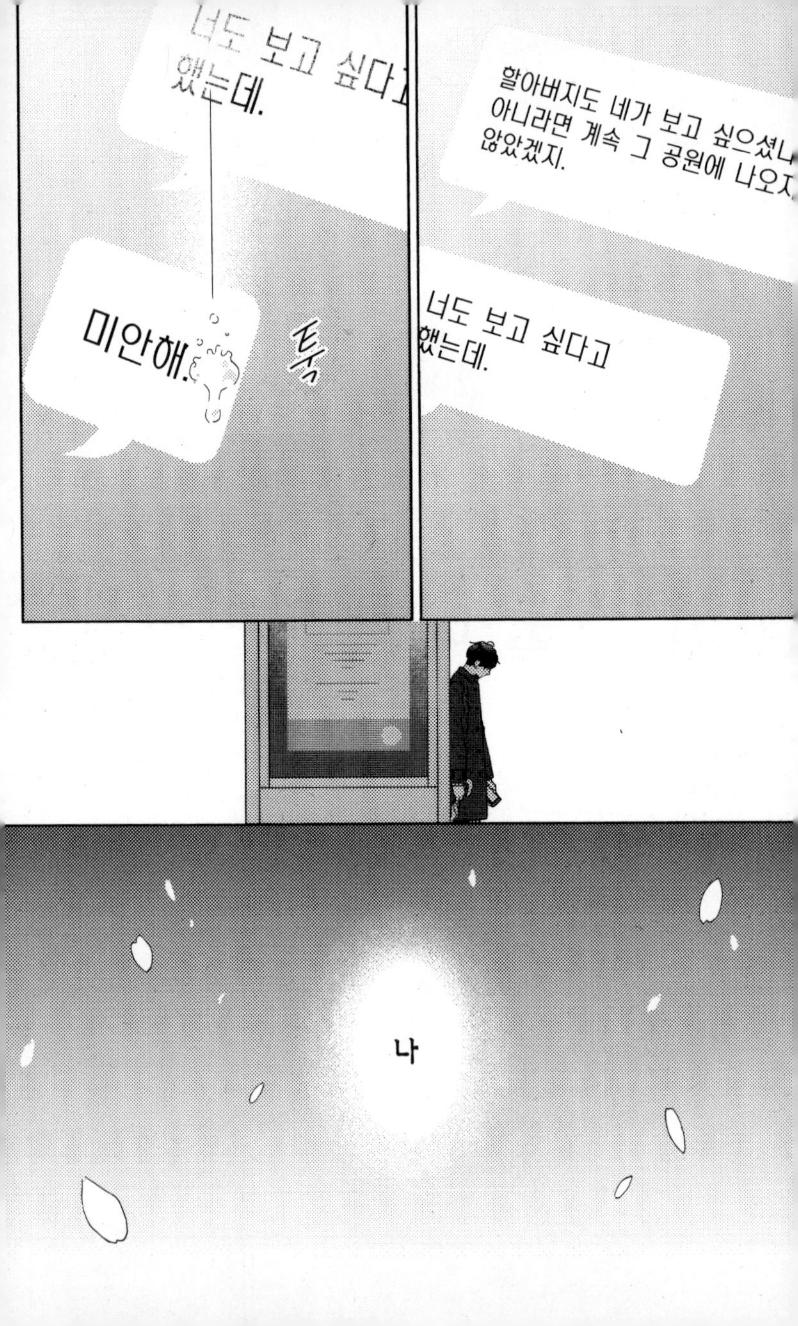

공벌레?

으악?!
깜짝이야.

달칵!!

다음 주
외출할 때
여기 가구점에
들르고 싶은데.

똑
똑

호타루?

절대 깨면
안 되는

약속도…
지키지
못한걸….

오늘은
정말 멋진
악셀 점프를
뛴 것 같아

오케이~

아빠,
나 다
씻었어.

토모.

어떡하면

좋았을까?

뭘 하는 게
정답이었던
거지?

잊을 수 없는
1주년이
되어버린

그날 밤,

꿈속에

보스가
나타났다.

무슨 얘길
했는지는
거의 기억에
없지만

마지막으로
슬픈 듯
웃고는

힘내라고

말해준 것
같았다.

제 61 화 처음 좋아했던 너

사키.

다시 한번 제대로 얘길 하자.

거듭 얘기하지만

진짜 네 잘못도 아니고, 네가 신경 쓸 일도 아냐.

엄마한테 할아버지 얘기 들었어.

하...
할아버지도

친구였던
네가 그런
얼굴 하는 거
바라지 않으실
거야….

응…
나도
알아.
하지만.

당연하지….
난 할아버지랑
얘기한 적도
없으니까….

아….

와닿지
않나….

이렇게 신경 쓰게 만들고….

아니야! 그런 식으로 생각하지 마.

전에도 말했지만

…미안.

핫

역시 괜히 말했나 봐.

…

넌 좀 더 불만을 얘기해도 돼.

나한테 아무 말도 못 한다는 건 말이 안 되잖아….

야오네 일은 목숨이 달린 거였잖아….

게다가 만일 똑같은 일이 눈앞에서 펼쳐진다면

그 상대가 누구든

넌 분명 또 같은 선택을 할 거야.

그…!

……

그리고 보니

엄마도 옛날에 비슷한 약속을 한 적이 있어.

기억해두렴.

엄마는 사키를 세상에서 제일 사랑해.

사키가 도와달라고 부르면

엄마는 언제든 바로 날아올 거야.

약속.

...괜찮아.

신경 쓰지 마.

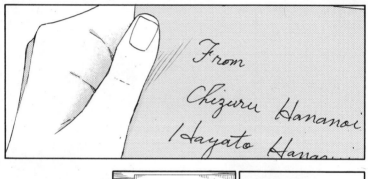

From

Chizuru Hananoi
Hayato Hana...

저기…

이런 거 물어봐도 될지 모르겠는데

혹시 호타, 하나노이랑 무슨 일 있어?

알바는 기말고사가 가까워서…

제가 줄인 건데

그, 그래요?

의혹…

둘 다 어딘가 어색하달까…

알바도 시간이 제각각일 때가 많아진 것 같고.

막

그 뒤에도。

아하…

난 또~.
싸운 게
아니면
됐어!

신경 쓰지
말란 말은

아무리 해도
소용없겠지…?

사키의 얼굴은
여전히
밝아지지
않았다.

몇 번인가
얘길
했지만

아니란
말을
못 했어
….

게다가
….

넌 분명
또 같은 선택을
할 거야.

히나세

좀 더
사키를
소중히 하고
싶은데
방법을
모르겠어…

···

사키,
벌써
퇴근각?

함!

탕

있지,
요즘 호타루랑
데면데면한 거
혹시 나
때문이야?

그 왜,
내가 저번에
야오 연락처
갖고…

쓸데없는
소릴
했잖아.

에?

미안함 반,
흥미 반?

으음

뭐예요?
나한테
미안해서
그래요?

딱히
니시 씨나
야오랑은
관계없어요.

흥미
…

하아

그러니까
신경 쓰지
마요.

사키.

배
안 고파?

대장~ 간장 라면 둘이랑 군만두 하나요~.

예~

사람들과 얽히는 거 싫어하는 사람인 줄 알았는데.

저항할 기력도 없다...

뭐죠, 이건...?

니시 씨 원래 이런 캐릭터였어요...?

얼굴에 늘 성가신 녀석이라고 적혀 있던데요...?

낯가림이 심한 거지 싫어하진 않아.

너한텐 꽤 관심도 많고.

아, 나왔다

팍

자~
간장 라면 둘,
군만두
나갑니다~.

탕

성가신 거랑
싫은 건
같은 게
아니거든?

후루룩
후루룩

...
그래서

호타루랑
왜 싸운
건데?

...잘
먹겠습
니다.

후... 후!!

후루룩
후루룩

나도 딱히 두 사람 사이를 갈라놓고 싶었던 건 아니니까~

뭔가 화해를 위해 할 수 있는 게 있으면 할게.

말 안 해요.

라면은 맛있네요.

없어요.

뭐든 말해봐

그럼, 사키가 지금 하고 싶은 일을 말해도 좋아.

아무도 없는 곳에 혼자 있고 싶어요….

진심으로…

그렇군… 오케이.

알겠어.

예?

타.

엥...?

이 상황은 뭐죠...? 무섭게...

걱정 마, 훔친 차는 아니니까.

삐

삐

음악이라도 틀까? …아차, 이 차엔 내 노래밖에 없지…?

그건 좀 부끄러운데…

그걸 묻는 게 아니잖아요.

그 라면 가게, 우리 집이야.

이건 아빠 차고.

…아무거나 상관 없어요.

폰에 있는 거라도 틀까—?

관심 없으니까 ….

144

자.

원 없이
혼자 있어.

바
아...

바

난
차에서
기다릴게

······

…이렇게
넓은 바다에
온 건
처음이다.

호타루랑
오고
싶었는데…

뭐야,
날도 춥고…
바람도
센데…

겨울
바다
라니…

늘
어딘가에
가고
싶었다.

호타루랑
둘이

우리
말고는

아무도
없는
곳으로.

처음부터

아아…
대체 뭐 하는
거람…
난….

줄곧.

찰
박

자.

미안
한데,

비 오니까
여기까지만
하자.

결국…

왜
절 위해
이렇게까지
해주는
거예요?

살아있는 것
같아
보여서?

으음,
네가
고민하는
모습이

뭐,
툭 까놓고
말하면.

아아…
작곡
때문에요?

난 연애에
빠져드는
사람들 마음을
잘 모르니까

물어보고
싶더라고.

내 연애관은
너무 편향적이라
참고가 안 될
거예요.

그 점이
재밌잖아.

...사실 처음엔 가족보다, 친구보다... 누구보다도 날 봐주는 사람을 원했어요.

근데 막상 좋아하는 사람이 그래 주니까

날 제일 우선해주고, 아껴주는 사람.

게다가 난 그 애한테서 소중한 사람과의 시간을 뺏은 빚이 있거든요.

이걸로... 정말 괜찮나 하는 생각이...

156

…얘기 하는 게 아닌데…

평생 배려할 수 밖에 없을 거예요.

그걸 알아버린 이상 착한 호타루는 내가 신경 쓰지 않게

옛날의 나라면 그 애를 내 세상에

묶어둘 수 있어서 기뻐했겠죠…?

하지만 지금은

그게 전혀 기쁘지가 않아요.

그런
널

난
속절없이

사랑하고
있는 거야.

으아~
큰일이다.

…심심한데
음악이나
들을까요?

막대사탕 →

괜찮아요.
지금 부모님은
집에 없으니까.

아침 해가
…

너무 멀리
데려왔나
봐.

그러
든가
…

글자로 시간을 소비한다는 가사,

뭔지 알 것 같아요.

아, 이거... 저번에 휴게실에서 들려준 거죠?

좀 쑥스럽다

저도 딱히 책을 좋아해서 책을 읽는 게 아니니까요.

보면 몰라요?

사키, 은근 외톨이야?

고등학교에 올라가 외모를 가꾸고부터는 아무도 괴롭히지 않게 됐지만.

…

찰칵

나도 중학교 때 왕따를 당해서

밖에 안 나가게 된 적이 있어.

히나세 호타루

쿠죠타 케이

아아… 그렇군요. 그래서….

타투를…

근데 사키는

예?

읽기만 하는 게 아니라 직접 써보고 싶은 생각은 없는 거야?

…좋았어.

그리고

시간은
흘러

대합실
Departure Lobby

《하나노이 군과 상사병》 16권에 계속

매달 축하

어머.

또 케이크 니?

달에 한 번 인데요? 크기도 작고.

그거면 충분히 많지

너 요즘 케이크 자주 먹는다?

기념일은

역시 케이크 니까.

매달 있는 기념일…? 설마 기일 같은 건가….

맛있는 곳이면 호타루한테 알려줄 수도 있고

키스마크

어?

뭐?

어느 틈에

호타루, 목에 벌레 물린 자국이 있어.

※ 알아채지 못함.

가렵겠다

겨울 인데… 벼룩 인가?

※역시 알아채지 못함.

자매의 낮은 연애경험치 덕에 목숨을 건진 하나노이 였다.

이상 하네. 전혀 가렵지 않은데….

172

여자는 왜 그렇게 부드러운 걸까?

예를 들면... 팬케이크...? 처럼 폭닥폭닥한 게....

하나노이... 갑자기 이런 말은 그렇지만, 잠깐 안아봐도 될까?

절대 싫어.

제발, 중요한 일이란 말야.

아아, 나도 마시멜로 같다고 생각했어.

무념...

꾸욱...

...찹쌀떡...?

나 화내도 되지?

...역시 달라....

너도 언젠가 알게 될 거야....

???

다들 부드러움이 묘하게 다르지 않아?

여친이랑 첫 키스 축하해...

아니.... 새삼 여자는 부드럽구나 싶어서....

본편에 넣지 못했던
작은 에피소드 모음집

참 부드러웠지
...

진지하게 고민하는데 본능이 사라지질 않아

잊을 수가 없어

공부 중

푹

하아...

손님들한테 내 곡 홍보 좀 하지 마

부모에게 엄청 응원받는 니시
(본가에선 이미 독립)

두근...

이어지는 타투 이야기

아니, 타투는 내가 책임지고 스스로 선택해보고 싶었달까?

아아... 그래서 타투를...

...왠지 알 것 같은 게 싫네요

지금 싫다고 한 거야? 응?

최근 고민 : 다양한 이유로 잠을 못 잔다.

으으윽...

벌떡

하 나 노 이

군 ♥과

상 사 뻥

하나노이 군과 상사병 15

2024년 09월 08일 초판 인쇄
2024년 09월 15일 초판 발행

저자 : Megumi Morino
역자 : 서수진
발행인 : 황민호
콘텐츠2사업본부장 : 최재경
책임편집 : 주어진 / 임효진 / 김영주
발행처 : 대원씨아이(주)

서울특별시 용산구 한강대로 15길 9-12
전화 : 2071-2000 · FAX : 6352-0115
1992년 5월 11일 등록 제 3-563호

[Hananoi kun to Koi no Yamai]

잘못 만들어진 책은 구입하신 곳에서 교환해 드립니다.
문의 : 영업 02) 2071-2072 / 편집 02) 2071-2113

ISBN 979-11-7245-913-0 07830
ISBN 979-11-334-9965-6 (세 트)